在北京冬奥会、冬残奥会总结表彰大会上的讲话

（2022年4月8日）

习　近　平

人民出版社

图书在版编目(CIP)数据

在北京冬奥会、冬残奥会总结表彰大会上的讲话/习近平 著. —北京:
人民出版社,2022.4

ISBN 978-7-01-024688-8

Ⅰ.①在… Ⅱ.①习… Ⅲ.①习近平-讲话-学习参考资料②冬季奥运会-北京-2022-学习参考资料③世界残疾人运动会-北京-2022-学习参考资料 Ⅳ.①D2-0②G811.212③G811.228

中国版本图书馆 CIP 数据核字(2022)第 056242 号

(RMC-ZJDXI-125-20220408)

在北京冬奥会、冬残奥会总结表彰大会上的讲话

ZAI BEIJING DONG'AOHUI DONGCAN'AOHUI
ZONGJIE BIAOZHANG DAHUI SHANG DE JIANGHUA

(2022年4月8日)

习 近 平

人民出版社 出版发行
(100706 北京市东城区隆福寺街99号)

北京新华印刷有限公司印刷 新华书店经销

2022年4月第1版 2022年4月北京第1次印刷
开本:880毫米×1230毫米 1/32 印张:0.5
字数:7千字

ISBN 978-7-01-024688-8 定价:2.00元

邮购地址 100706 北京市东城区隆福寺街99号
人民东方图书销售中心 电话 (010)65250042 65289539

在北京冬奥会、冬残奥会总结表彰大会上的讲话

（2022 年 4 月 8 日）

习　近　平

同志们，朋友们：

历经 7 年艰辛努力，北京冬奥会、冬残奥会胜利举办，举国关注，举世瞩目。中国人民同各国人民一道，克服各种困难挑战，再一次共创了一场载入史册的奥运盛会，再一次共享奥林匹克的荣光。

事实再次证明，中国人民有意愿、有决心为促进奥林匹克运动发展、促进世界人民团结友谊作出贡献，而且有能力、有热情继续作出新的更大的贡献！

北京冬奥会、冬残奥会的成功举办，凝结着各条战线人们的辛勤付出和智慧汗水。北京冬奥组委同北京市、河北省、国家体育总局、中国残联紧密合作，广大冬

奥建设者、工作者、志愿者牢记党和人民的重托，满怀为国争光的壮志，在各自岗位上真诚奉献、默默耕耘，涌现出一大批作出突出贡献的先进集体和先进个人。

今天，我们在这里隆重集会，总结北京冬奥会、冬残奥会的经验，表彰突出贡献集体和突出贡献个人，弘扬北京冬奥会、冬残奥会筹办举办过程中培育的崇高精神，激励全党全国各族人民为实现第二个百年奋斗目标、实现中华民族伟大复兴的中国梦而努力奋斗！

同志们、朋友们！

中国人历来言必信、行必果。确保北京冬奥会、冬残奥会如期安全顺利举办，确保"两个奥运"同样精彩，是中国人民向国际社会作出的庄严承诺。

7 年来，在党中央坚强领导下，各有关部门、各省区市团结协作、攻坚克难，北京携手张家口作为主办城市尽锐出战、全力投入，同国际奥委会、国际残奥委会等国际体育组织紧密合作，克服新冠肺炎疫情等各种困难挑战，向世界奉献了一届简约、安全、精彩的奥运盛会，全面兑现了对国际社会的庄严承诺，北京成为全球首个"双奥之城"。

——冬奥赛事精彩纷呈，国际社会积极评价。四场开闭幕式精彩纷呈，人类命运共同体的主题贯穿始终，中华文化和冰雪元素交相辉映，体现了自然之美、人文之美、运动之美，诠释了新时代中国可信、可爱、可敬的形象。三个赛区一流的场馆设施，严谨专业的赛事组织，温馨周到的服务，赢得参赛各方一致好评。赛事吸引了全球数十亿观众观赛，成为收视率最高的一届冬奥会！

——爱国情怀充分彰显，汇聚起实现中华民族伟大复兴的强大力量。北京冬奥会、冬残奥会是中国人民爱国热情的激扬展示。海内外中华儿女热情关注、大力支持这场在中国举办的冬奥盛会，纷纷为冬奥健儿加油喝彩、为伟大祖国加油喝彩。赛场上，我国体育健儿不畏强手、顽强拼搏、为国争光，五星红旗高高飘扬，每一位中华儿女都倍感荣光。一位护旗手说："我站在奥运会的升旗台，心中满满的自豪感，想到祖国如今的繁荣昌盛是多么来之不易，那是一种说不出的骄傲与热爱，泪水就夺眶而出了……"巧妙蕴含中华文化的冬奥场馆，活泼敦厚的"冰墩墩"，喜庆祥和的"雪容融"，扑面而来的中国年味儿，香喷喷的豆包……，"冬奥梦"和"中国梦"精彩交织。饱含圆融和合等中国理念的开闭幕式，构思独到，匠心独运，二十四节气、黄河之水、中国结、迎客松、折柳寄情、雪花主题歌……，听障演员的圆舞曲、手语版国歌、盲童合唱团的歌声、视障运动员的点火……，这些意蕴隽永的场面在人们心中留下了美轮美奂、直击人心的深刻印象，激发了海内外中华儿女万众一心、接续奋斗的昂扬激情！

——“三亿人参与冰雪运动”成为现实，人民群众获得感显著增强。北京冬奥会、冬残奥会的筹办举办推动了我国冰雪运动跨越式发展，冰雪运动跨过山海关，走进全国各地，开启了中国乃至全球冰雪运动新时代。筹办以来，我们建设了一大批优质的冰雪场地设施，举办了一系列丰富多彩的群众性冰雪赛事活动，人民群众参与热情持续高涨，参与人数达到 3.46 亿，冰天雪地成为群众致富、乡村振兴的“金山银山”。冬奥筹办举办全面促进了社会事业发展，残疾人人权得到更好保障，广大群众生活更加丰富多彩！

——冬奥遗产成果丰硕，实现成功办奥和区域发展双丰收。北京冬奥会、冬残奥会筹办举办对国家发展特别是京津冀协同发展具有强有力的牵引作用。我们把冬奥筹办举办作为推动京津冀协同发展的重要抓手，区域交通更加便捷，生态环境明显改善，产业联动更加紧密，公共服务更加均衡。“冰丝带”、“雪飞天”、“雪游龙”、“雪如意”等冬奥场馆精彩亮相，成为造福人民的优质资产！

——疫情防控精准有效，确保了冬奥安全顺利。在全球新冠肺炎疫情大流行背景下，我们把全部参与者的健康放在第一位，坚持“外防输入、内防反弹”，通过严格实施防控措施，有力保障了各方人员健康。赛时期间，闭环内阳性比例仅为0.45%，所有阳性人员都得到了有效治疗和良好照顾，没有发生聚集性、溢出性疫情，城市防控动态清零。中国的防疫政策再次经受住了考验，为全球抗疫和举办国际重大活动提供了有益经验。有的外国运动员表示：“如果疫情应对也有金牌，中国应该得到一枚。”这枚金牌属于全体办奥人员！

——团结合作走向未来，为人类战胜挑战作出了中国贡献。奥林匹克运动承载着人类对和平、团结、进步的美好追求。在世界百年变局加速演进、人类社会遭遇各种挑战的形势下，奥林匹克大家庭成员不远万里来华共襄盛举，团结友好的“朋友圈”、“伙伴群”越扩越大。外国运动员在回国时恋恋不舍地说：“我会在飞机上哭的，我要哽咽了，爱你们。”“我肯定会把生命中最美好的冬奥回忆带回家。”北京冬奥会、冬残奥会的成功举办，促进了不同文明交流互鉴，为推动全球团结合作、共克时艰发挥了重要作用，也为动荡不安的世界带来了信心和希望,向世界发出了“一起向未来”的时代强音!

同志们、朋友们!

冬奥7年艰辛,奋斗铸就辉煌。北京冬奥会、冬残奥会筹办举办是在异常困难的情况下推进的,全部参与者坚持“一刻也不能停,一步也不能错,一天也误不起”,付出了艰苦卓绝的努力。广大冬奥建设者发扬工匠精神,打造了巧夺天工、世界一流的场馆设施。广大办赛人员严谨专业完成赛事组织工作,为运动员创造了良好比赛条件。广大赛会服务保障人员热情周到服务,工作时间表是迎着星星来、顶着星星走,为参赛各方带去春天般的温暖。广大医疗防疫人员筑起牢不可破的安全屏障,守护了参赛各方健康。广大城市保障人员用心守护城市的每一处角落,用最高标准保障了赛事和城市顺畅运行。广大人民解放军指战员、武警部队官兵、公安干警和消防救援队伍指战员承担急难险重任务,圆满完成了安全保卫等工作。广大文艺工作者、科技工作者、设计工作者、新闻工作者、外事工作者、气象工作者以及其他各条战线上的全体工作人员团结一心、通力合作,坚守各自岗位,默默奉献付出,出色完成了各项任务。广大志愿者用青春和奉献提供了暖心的服务，向世界展示了蓬勃向上的中国青年形象。闭环内数万名工作人员，舍家忘我、坚守数月，展现了感动人心的精神风貌和责任意识。同志们深情地表示："为了冬奥圆满成功，困难再多也嚼嚼咽了，一切付出与奉献都值得。"祖国和人民为你们的辛勤付出、取得的优异成绩感到自豪！

7 年来，我国广大运动员、教练员牢记党和人民嘱托，争分夺秒、刻苦训练，在冬奥赛场上敢打敢拼、超越自我，胜利完成各项比赛任务。中国体育代表团首次全项参赛，勇夺冬奥会 9 枚金牌、15 枚奖牌和冬残奥会 18 枚金牌、61 枚奖牌，创造了我国参加冬奥会、冬残奥会的历史最好成绩！我国广大运动员、教练员以实际行动落实拿道德金牌、风格金牌、干净金牌的要求，诠释了奥林匹克精神和中华体育精神，实现了运动成绩和精神文明双丰收，为党和人民赢得了荣誉！

广大冬奥会、冬残奥会的参与者们，用辛勤付出、坚强毅力、巨大勇气，以强烈的责任感、使命感、荣誉感，出色完成了各项工作任务，创造了无愧于祖国、无愧于人民、无愧于时代的光辉业绩！

在这里，我代表党中央、国务院和中央军委，向受到表彰的突出贡献集体和突出贡献个人，表示热烈的祝贺！向为北京冬奥会、冬残奥会筹办举办作出突出贡献的全体建设者、工作者、志愿者，向广大运动员、教练员，向人民解放军指战员、武警部队官兵、公安干警和消防救援队伍指战员，致以崇高的敬意！向热情支持北京冬奥会、冬残奥会的广大香港同胞、澳门同胞、台湾同胞和海外华侨华人，表示衷心的感谢！

在筹办举办过程中，国际奥委会、国际残奥委会以及奥林匹克大家庭、残奥大家庭成员对我们的工作给予了积极帮助，各国政府和人民、国际友好人士给予了大力支持，许多国家领导人、国际组织负责人亲自来华出席有关活动。来自世界各地的体育健儿在赛场上相互尊重、彼此激励、突破极限，在激情的比赛中完美演绎了"更快、更高、更强——更团结"的奥林匹克格言和"勇气、决心、激励、平等"的残奥价值观。北京冬奥会、冬残奥会是一场和平友谊的盛会、一场团结合作的盛会、一场鼓舞世界的盛会！

在这里，我谨代表中国政府和 14 亿多中国人民，向国际奥委会、国际残奥委会以及奥林匹克大家庭、残奥大家庭成员，向世界各国各地区的朋友们，表示衷心的感谢！向在北京冬奥会、冬残奥会上奋勇争先的各国体育健儿们，表示崇高的敬意！

同志们、朋友们！

成就源于奋斗，胜利来之不易。回顾7年来不平凡的筹办举办历程，我们不仅在奋斗中收获了成功的喜悦，也在奋斗中收获了丰厚的精神财富，收获了弥足珍贵的经验，值得我们倍加珍惜、发扬光大。

第一，坚持党的集中统一领导。党中央高度重视北京冬奥会、冬残奥会，成立冬奥会工作领导小组，从国家层面统筹力量、协调推进筹办工作。筹办之初，党中央就明确提出绿色、共享、开放、廉洁的办奥理念。面对严峻复杂的全球疫情，在全面分析国内外形势特别是疫情影响基础上，作出“顺利举办即成功”的科学判断，提出“简约、安全、精彩”的办赛要求。广大党员、干部牢记初心使命，以行动践行了“急难险重任务，我在第一线”的誓言。事实充分证明，中国共产党是我们成就伟业最可靠的主心骨，只要始终不渝坚持党的领导，就一定能够战胜前进道路上的任何艰难险阻，就一定能够办成我们想办的任何事情！

第二，坚持集中力量办大事。冬奥筹办是一项复杂的系统工程。在党中央坚强领导下，冬奥会工作领导小组和18个专项工作议事协调机构搭建起冬奥筹办的四梁八柱，北京冬奥组委、北京市、河北省与中央部门、各省区市、人民解放军和武警部队、企业、高校院所等方面紧密合作、全力攻坚，社会各界和人民群众热情参与，共同完成了各阶段筹办任务。在赛时阶段，战略指挥、运行指挥、场馆运行的三级工作体系把各方力量统筹起来，凝聚起强大工作合力。我国社会主义制度非凡的组织动员能力、统筹协调能力、贯彻执行能力，我国坚实的经济实力、科技实力、综合国力，为成功办奥提供了强有力的底气和最坚实的保障！

第三，坚持主动防范应对各种风险挑战。在世界百年未有之大变局叠加新冠肺炎世纪疫情背景下举办冬奥会、冬残奥会，面临的风险挑战前所未有。我们坚持底线思维、问题导向，增强忧患意识，把防范化解风险挑战摆在突出位置，把困难估计得更充分一些，把风险思考得更深入一些，下好先手棋，打好主动仗。我们全方位梳理排查各领域、各环节风险点，建立常态化工作机制，不断发现问题，及时研究解决，积极妥善应对，确保了赛事安全顺利举办。

第四，坚持办赛和服务人民、促进发展相结合。北京冬奥会、冬残奥会的成功不仅在于赛事的成功，更在于通过筹办举办冬奥会、冬残奥会带动了各方面建设，为经济社会发展带来了深远的积极影响。我们坚持冬奥成果人民共享，通过推广普及冰雪运动带动全民健身走向纵深，通过产业发展助力脱贫攻坚，通过提升公共服务水平改善人民生活品质，让人民身心更健康、就业更充分、生活更美好，实现共同参与、共同尽力、共同享有。一位北京市民说："我们都是普普通通的老百姓，让普通老百姓展示，是显示中国人站起来了，中国向世界展示中国强大了。"

同志们、朋友们！

伟大的事业孕育伟大的精神，伟大的精神推进伟大的事业。北京冬奥会、冬残奥会广大参与者珍惜伟大时代赋予的机遇，在冬奥申办、筹办、举办的过程中，共同创造了胸怀大局、自信开放、迎难而上、追求卓越、共创未来的北京冬奥精神。

——胸怀大局，就是心系祖国、志存高远，把筹办举办北京冬奥会、冬残奥会作为"国之大者"，以为国争光为己任，以为国建功为光荣，勇于承担使命责任，为了祖国和人民团结一心、奋力拼搏。

——自信开放，就是雍容大度、开放包容，坚持中国特色社会主义道路自信、理论自信、制度自信、文化自信，以创造性转化、创新性发展传递深厚文化底蕴，以大道至简彰显悠久文明理念，以热情好客展现中国人民的真诚友善，以文明交流促进世界各国人民相互理解和友谊。

——迎难而上，就是苦干实干、坚韧不拔，保持知重负重、直面挑战的昂扬斗志，百折不挠克服困难、战胜风险，为了胜利勇往直前。

——追求卓越，就是执着专注、一丝不苟，坚持最高标准、最严要求，精心规划设计，精心雕琢打磨，精心磨合演练，不断突破和创造奇迹。

——共创未来，就是协同联动、紧密携手，坚持“一起向未来”和“更团结”相互呼应，面朝中国发展未来，面向人类发展未来，向世界发出携手构建人类命运共同体的热情呼唤。

同志们、朋友们！

7 年磨一剑，砥砺再出发。北京冬奥会、冬残奥会是在全党全国各族人民向第二个百年奋斗目标迈进的关键时期举办的重大标志性活动。我们要积极谋划、接续奋斗，管理好、运用好北京冬奥遗产。

北京冬奥会、冬残奥会既有场馆设施等物质遗产，也有文化和人才遗产，这些都是宝贵财富，要充分运用好，让其成为推动发展的新动能，实现冬奥遗产利用效益最大化。要继续推动冰雪运动普及发展，强化战略规划布局，建设利用好冰雪场地设施，发展冰雪产业，丰富群众冰雪赛事活动，把群众冰雪运动热情保持下去。要充分挖掘利用北京冬奥文化资源，坚定文化自信，更加自信从容传播中国声音、讲好中国故事。要弘扬人道主义精神，尊重和保障人权，完善残疾人社会保障制度和关爱服务体系，促进残疾人事业全面发展，支持和鼓励残疾人自强不息，正像一位视障运动员在赛场上所说："我看不清世界，但我想让世界看到我。"要在全社会广泛弘扬奉献、友爱、互助、进步的志愿精神，更好发挥志愿服务的积极作用，促进社会文明进步。要弘扬奥林匹克精神，发挥奥林匹克促进人类和平发展的重要作用，为人类文明进步贡献更多中国智慧和中国力量。

成功筹办举办北京冬奥会、冬残奥会，极大激发了亿万人民的体育热情，极大推动了我国体育事业发展。我们要坚持以增强人民体质、提高全民族身体素质和生活质量为目标，高度重视并充分发挥体育在促进人的全面发展中的重要作用，继续推进体育改革创新，加强体育科技研发，完善全民健身体系，增强广大人民群众特别是青少年体育健身意识，增强我国竞技体育的综合实力和国际竞争力，加快建设体育强国步伐。

同志们、朋友们！

圆梦冬奥会，一起向未来。让我们更加紧密地团结在党中央周围，发扬北京冬奥精神，以更加坚定的自信、更加坚决的勇气，向着实现第二个百年奋斗目标奋勇前进，向着实现中华民族伟大复兴的中国梦奋勇前进！